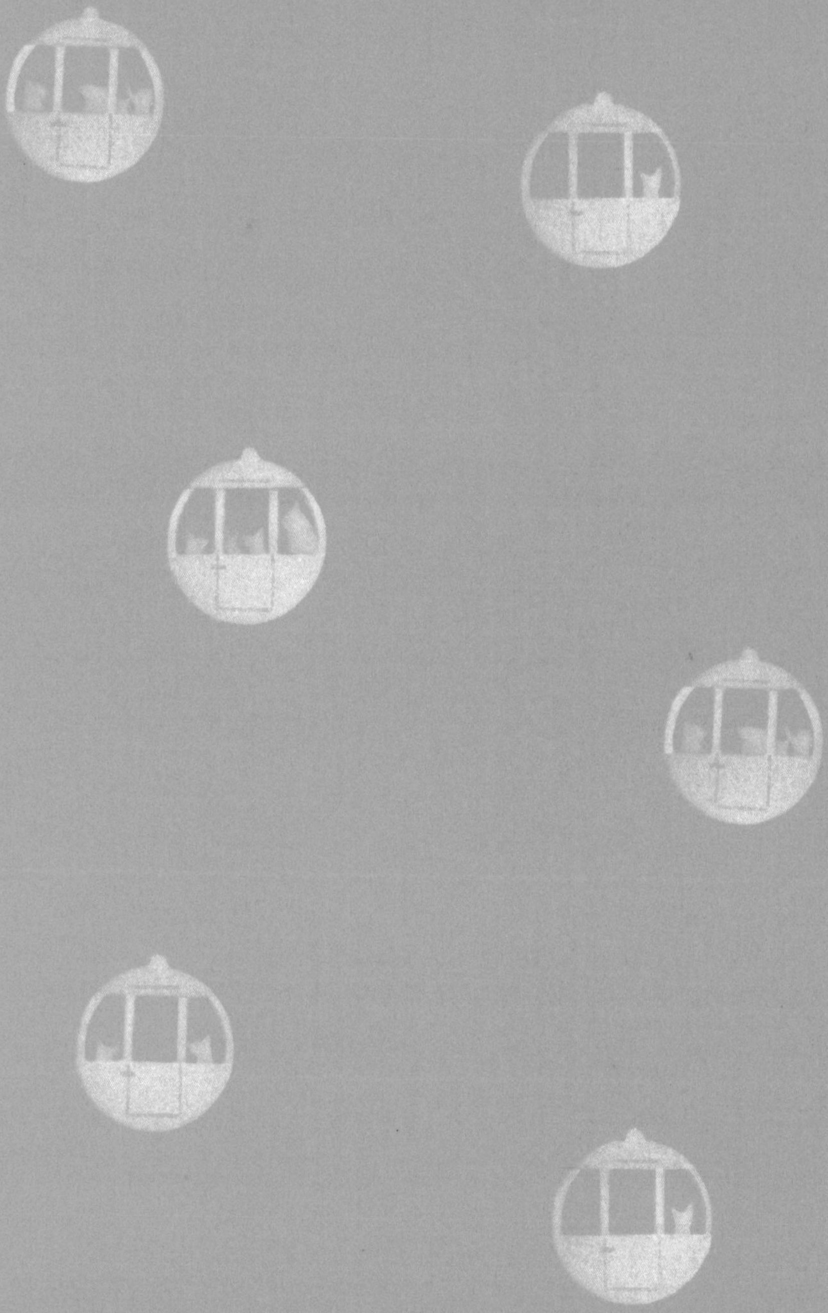

作者簡介

戶田和代（とだかずよ）

出生於日本東京，以《小貓的失物》獲得日本兒童文藝家協會新人獎，以《狐狸的電話亭》獲得日本浜田廣介獎。其他作品有《月夜的鯨魚》、《廁所的烏龜先生》、《賣傘的青蛙先生》等書。

繪者簡介

高巢和美（たかすかずみ）

出生於日本福岡縣，善用輕柔的粉彩營造出溫暖可愛的感覺。主要作品有《睡不著》、《晴天小天使》、《狐狸的電話亭》、《寶琳就是寶琳》等書。

譯者簡介

周姚萍

小說家、童書作家、翻譯家。曾獲行政院新聞局金鼎獎優良圖書推薦獎、聯合報讀書人最佳童書獎、幼獅青少年文學獎、九歌文學獎年度童話獎等獎項。翻譯作品有《約翰醫生的動物醫院》、《班上養了一頭牛》、《小小桃子貓美容院》等書。

遊樂園今天不開門

戶田和代／文　高巢和美／圖　周姚萍／譯

小天下

這裡是遊樂園。

但是，遊樂園今天休息不開門。

你看，雲霄飛車和巨大的摩天輪是不是一動也不動呢？

小吃店和販賣部也沒有開門，到處都看不到人影，冷清清的……

唔？這裡倒是有一個人。

那是遊樂園的警衛伯伯。

他從剛剛就不停的打呵欠，好像河馬一樣。

不過，遊樂園裡可沒有河馬喔！

這裡雖然沒有河馬，咦……卻有一隻
小狐狸呢！
我沒騙你，真的有一隻小狐狸。

小狐狸從剛剛就一邊「叩、叩、叩」
的敲著辦公室的窗戶，一邊大喊：
「伯伯、伯伯。」

「唔？」

警衛伯伯總算被叫醒了，他張開眼睛，到處找誰在喊他。

「是你在叫『伯伯』嗎？」

警衛伯伯把窗戶打開，探頭看到一隻小狐狸，好奇的問。

「嗯。」

小狐狸露出高興的表情，用力的點點頭。

接著，他突然舉起前腳，指向高高的天空，對警衛伯伯說：

「請讓我坐那個！」

「什麼？」

警衛伯伯連忙跑出去看，大大的摩天輪占滿了整個天空。

「你說的『那個』，是指那個嗎？」

小狐狸立刻點點頭。

「不過，很抱歉，今天遊樂園休息，不能坐摩天輪喔。」

警衛伯伯才剛說完，小狐狸就一副理直氣壯的模樣，回答說：

「所以我才會來呀！雖然人類休息，但動物又不是人類。」

「唔，不對、不對。」

警衛伯伯搖搖頭說：

「當人類休息時，動物也要跟著休息，這是理所當然的事！」

小狐狸原本神采奕奕的臉龐，一下子變得悶悶不樂；原本高高翹起的尾巴，也無精打采的垂下。

「怎麼這樣嘛！人家特地跑來了……」

警衛伯伯看到小狐狸失望的表情，突然覺得他很可憐。

「那……好吧！可是先說好，只能坐一次，下

不為例喔！」

「哇！真的嗎？」

小狐狸臉上立刻恢復了開心的笑容，鬍子和尾巴也「啪」的翹得直直的。

「來吧！要抓緊喔。」

小狐狸一坐上去，警衛伯伯就幫他把門關好，然後走進操控室，按下開關。

「叩咚叩咚、叩咚叩咚……」

摩天輪慢慢的轉動了起來，搖搖晃晃的載著小狐狸往上升。

剛開始的時候，小狐狸看起來非常緊張，但是過了一陣子，他就忍不住抱著肚子，「嘻嘻嘻」的笑出聲來。

「嘻嘻嘻……高一點，再高一點，快點兒帶我飛上天空！」

小狐狸開心的歡呼著。那興奮的聲音，很快的隨著摩天輪，升上高高的半空中。

過了一個星期。

又到了遊樂園休息的日子。

警衛伯伯仍然像河馬一樣的打著呵欠。

「伯伯、伯伯。」

小狐狸又跑來了。

「上次真的很謝謝您的幫忙。我回到山上以後，跟妹妹說起了這件事，結果，她也好想、好想坐摩天輪喔……」

小狐狸背後站著一隻更小的狐狸，正抬頭呆呆的看著天空，一動也不動。

「不行！不行！」

警衛伯伯連忙說：

「我已經說過了，沒有第二次喔！」

「我就跟你說嘛！」

小狐狸轉身向狐狸妹妹說：

「不可能的！」

狐狸妹妹聽到不能坐摩天輪，心裡好難過，她默默的低下頭，小小的肩膀微微的顫抖著，好像在

哭泣。

「唉呀，你真的那麼想坐摩天輪嗎？」

警衛伯伯驚訝的問。

「好吧，一次和兩次，也差不了多少。可是，真的沒有下一次喔！」

「哇！」

聽警衛伯伯這麼一說，狐狸兄妹發出好大的歡呼聲，露出一模一樣的燦爛笑容。

他們一笑，鬍子就像高喊著「萬歲」一樣，往上翹起來。

警衛伯伯看到了，也忍不住笑出聲來。

「高一點，再高一點，嘻嘻嘻。」

「高一點，再高一點，呵呵呵。」

摩天輪發出「喀啦喀啦」的聲響，載著兩張燦爛的笑臉，搖搖晃晃的升到半空中。

轉眼間，一個星期又過去了。

這一天，無聊的警衛伯伯依然「啊——」的打著大大的呵欠。

「那兩隻小狐狸不曉得怎麼樣啦……」

「伯伯、伯伯。」

警衛伯伯才剛剛想到他們，就聽到窗外傳來一陣呼喊聲。

小狐狸又跑來了！

「天哪？這是怎麼回事？」

警衛伯伯簡直不敢相信自己的眼睛。

因為在小狐狸背後，還有大熊、浣熊、鼬鼠、兔子等許多動物。

他們一邊七嘴八舌的講著話，一邊睜大眼睛，抬頭望著天空。

「我跟大家講了坐摩天輪的事，結果大家也都好想搭……」

警衛伯伯打斷小狐狸的話，說：

「不行！不行！」

他用力的搖搖頭，繼續說：

「我說不行，就是不行。在遊樂園休息的時候，隨便亂動遊樂設施，如果被老闆知道了，我一定會挨罵的。而且，遊樂設施雖然是機器，偶爾也需要休息一下！」

警衛伯伯的態度非常堅決。

浣熊聽了警衛伯伯的話，馬上嘟起嘴巴。

「怎麼這樣嘛！狐狸可以，浣熊就不行。」

「上次，你還不是讓小狐狸和他妹妹，又多坐了一次。」

大熊也不高興的說。

「就是說嘛！只有我們不能坐摩天輪，這樣太不公平了。」

鼬鼠也抽動著鬍子說。

「對嘛！不公平。」

「對嘛！」

「對嘛！」

猴子、兔子和野豬的眼淚都在眼眶裡打轉了。

「唉呀，真是的。」

警衛伯伯很為難的搔著頭說：

「真是拿你們沒辦法，好吧！真的只能再坐一次而已喔！」

「哇，好棒喔！」

「太棒了！」

「太棒了！」

動物們開心得不得了，歡呼聲像海浪一樣，一波接著一波。

他們有的蹦，有的跳，有的轉圈圈，有的翻筋斗，簡直樂翻了。

警衛伯伯訝異的看著這個景象，然後板起臉，又鄭重的說了一次：

「就只有一次喔。真的、真的是最後一次，下不為例了喔。」

沒多久，開心的動物們就一個接著一個坐上了摩天輪。

摩天輪發出「叩咚叩咚……」的聲音，慢慢的轉了起來。

「嘻嘻嘻、呵呵呵……」

狐狸兄妹還是笑得一樣燦爛。

大熊的嘴巴張得好大、好大。

兔子哼著歌，耳朵左右搖晃著。

浣熊和猴子不知道小聲的在說些什麼。

鼬鼠和野豬一下子跑到這邊看看，一下子跑到那邊望望。

警衛伯伯抬起頭，看著愈變愈小的動物們，大

聲問：「你們看到市區了嗎？」

「哇——看到了！看到了！」

「啊——好高喔！」

「我好像變成雲了吔！」

「我好像變成小鳥了吔！」

「我好像變成風了吔！」

動物們興奮的聲音，傳回地面。

警衛伯伯聽了，忍不住回想起自己小的時候，爸爸總是抱起他，將他高高舉起，讓他坐在肩膀上的情景。

（唔？坐摩天輪也是那樣的感覺嗎……）

警衛伯伯雖然在遊樂園工作，卻從來沒有坐過摩天輪。

而且，老實說，從下往上看，總覺得摩天輪好像獨自占據了整個天空，很難去喜歡它。

這時響起一個聲音：
「啊！看那邊！」
大家朝著同一個方向看過去。
「嗯，是我們住的那座山吔！」
「真的吔！」
動物們又是一陣騷動。
警衛伯伯聽到了，大聲問：
「咦？看得到你們住的那座山嗎？」

「可以啊。你看，就在那邊。」

「那座長得很像香菇的山，就是我們大家住的地方哩。」

儘管動物們這麼說，警衛伯伯還是搞不清楚，長得很像香菇的山到底是哪一座？

摩天輪剛好轉了一圈。

「喀噹！」

警衛伯伯讓它停了下來。

「好，到此為止嘍。知道了吧！下不為例，下不為例喔！」

他向動物們再三叮嚀。

不管是小狐狸、大熊、兔子、浣熊、猴子、鼬鼠或野豬，都呆呆的沒有反應。

過了好一會兒，他們才像回過神來一樣，對警衛伯伯說：

「伯伯，真的很謝謝你，我們今天玩得非常、非常開心。」

「從好久、好久以前，我們就很想到這裡來玩一次了。」

「我從遠遠的山那邊看著遊樂園，就發誓，有一天一定要來這邊……」

「後來，小狐狸終於出發了。他回來後說，摩天輪帶著他升上好高的天空。」

「所以，無論如何，不管有多困難，我都想來一次。」

「啊，到現在都好像在做夢呢！」

「嗯，好滿足喔！」

動物們的眼睛，就像新生的嫩葉，閃耀著明亮的光彩。

「喔，真是太好了。」

警衛伯伯露出了微笑。

「不過，你們記得怎麼回去吧？這附近有很多座山呢！」

小狐狸說：

「沒問題，沒問題。一路上，我們不曉得回頭

確認過多少次啦，不會忘記的。而且，我們住的那座山，遠遠看過去，就像一朵香菇，很好認的。」

「那就沒問題了。」

警衛伯伯點點頭說。

「那麼，回家的路上小心喔！」

「伯伯，再見。」

動物們看看警衛伯伯，又看看摩天輪，依依不捨的離開了。

時間匆匆的過去，遊樂園又經過了好幾次的休園日。

老實說，一到休園日，警衛伯伯的心臟就會「怦怦怦」的一直跳，心裡想著，不知道動物們會不會再跑來拜託他：

「請讓我們坐一下摩天輪好嗎？」

而且，他也很擔心，摩天輪上出現一群動物的怪事，如果不小心被人發現，傳開了，有人打電話

來抱怨說：「真是太可怕了，哪能再帶孩子到那種遊樂園去玩呀！」那就糟糕了。

警衛伯伯下定決心，就算只是一隻小老鼠，也不再讓任何動物坐上摩天輪。

所以，每到休園日，他都不再像河馬一樣打呵欠和睡大覺。

然而，動物們卻牢牢遵守和他的約定，從此再也沒有出現過。

休園日的遊樂園一個人都沒有，顯得死氣沉沉的，好安靜、好安靜。

有一天，警衛伯伯在附近的車站月臺等電車。遠遠的，他看到一座很奇特的山。

那座山長得就像一朵香菇，也很像剪了妹妹頭一樣，有著輕盈柔和的曲線。

「難道那就是……」

警衛伯伯的心裡一震。

「沒錯，是香菇山哪！」

他的眼前突然浮現出狐狸兄妹那一模一樣的燦爛笑臉。

「那些孩子，現在不知道怎麼樣了……」

警衛伯伯的心中一下子湧出了對動物們滿滿的思念。

這天是遊樂園的休園日。

但奇怪的是，遊樂園裡到處都看不到警衛伯伯的身影。

沒錯，警衛伯伯也休息了。

他一大早就起床，「嘩啦嘩啦」的洗了臉，仔仔細細的梳好頭髮。

吃完早餐以後，警衛伯伯匆匆忙忙的趕到車站去，心想：

「哈哈哈，那些孩子看到我突然出現，應該會嚇一大跳吧！」

搭上電車，從車窗往外望過去，香菇山就在遠遠的那一頭。

「放假時，他們跑到遊樂園來，讓人挺傷腦筋的。不過，現在換我去拜訪他們，應該一點都不成問題吧！」

警衛伯伯在心中喃喃唸著。

電車「喀啦喀啦」的往前開，警衛伯伯的身體也跟著一起搖搖晃晃。

電車已經開到終點站，香菇山卻還在很遠的那一頭。

警衛伯伯在車站前搭上公車。

然而，等公車開到終點站，香菇山看起來還是好遠、好遠。

「唔——那些孩子是從那麼遙遠的地方，跑到遊樂園來的嗎？沒有搭電車？也沒有坐公車？啊，那……」

他想起在遊樂園時，小狐狸、大熊、兔子、浣熊、猴子、野豬和鼬鼠嘟起嘴巴的模樣。

「他們走了那麼遠的路，好不容易到了遊樂園，卻被我拒絕，難怪會不高興！」

警衛伯伯走過架在小河上、有點腐朽的木橋，穿過無人的樹林，走上彎彎曲曲的田間小路。

「還真遠哪……」警衛伯伯邊走邊喃喃自語。

然而，他一直走、一直走，香菇山卻依然在遙遠的那一頭。

「唉呀呀……」

警衛伯伯好不容易才越過一座小山，他開始覺得有點兒累了。

「休息一下吧。」

他在路邊找到一塊平坦的大石頭，一屁股坐了下來。

「他們為什麼會那麼想搭那個呢？」

警衛伯伯用毛巾擦了擦汗，轉過頭來看到了遠處的摩天輪。

摩天輪好像很享受的樣子，在藍天的一角飄啊飄的。

彷彿你對它大喊「呀呵」，它也會回應你「呀呵」一樣，快樂的追逐著白雲，開心的在天空中奔跑著。

「啊！原來是這樣啊……」

警衛伯伯看著，開始有點兒明白動物們為什麼會那麼喜歡摩天輪了。

這時，「沙沙」的吹起一陣涼爽的風。

「再一下下……」

風中隱隱約約傳來一個微弱的聲音，好像有人在說話！

警衛伯伯豎起耳朵仔細聽。

接著，又「沙沙」的吹來一陣風。

「再一下下就好。」

「再加把勁兒吧！」

「加——油！」

「好期待喔！」

「好想趕快到喔！」

接下來，一陣又一陣的微風，吹來了一句又一句活潑開朗的聲音，就好像是大合唱一樣，美妙動聽極了。

「啊，是他們！」

警衛伯伯忍不住東張西望，心想：

「動物們應該就在附近，不知道會從哪裡跑出來呢？」

然而，沒有任何動物出現。

香菇山也還是一樣，只是靜靜的，站在遠遠的地方。

「什麼嘛！原來是聽錯了……」

警衛伯伯心裡感覺好失望，失望到連話都說不下去了。

但是，過了一會兒，他突然用力的搖搖頭。

「不，應該不是聽錯。」

警衛伯伯敲了敲自己的腦袋說：

「一定是那些孩子經過這裡時，又興奮又期待。於是，那些聲音就一直留在風裡，這麼久都沒有散去。」

「可是，我卻那麼無情的對他們說了『下不為例』的話。」

警衛伯伯非常自責。

「唉，算了！今天就先回去吧！回去等那些孩子再到遊樂園來，這樣應該比較好吧！他們一定會再來的……」

警衛伯伯決定，等那些動物來了，一定要讓他們再坐上最愛的摩天輪。

「喂——」

警衛伯伯像要把聲音傳到遠處的香菇山似的，大聲喊著。

「就算遊樂園休息，也歡迎你們來玩喔。你們一定要來喔！我等你們！」

「等你們……等你們……們……」

他的聲音，變成了回音，在山谷中迴盪，傳得好遠、好遠。

那天晚上，警衛伯伯做了一個夢。那是他有生以來第一次坐上摩天輪。

摩天輪轉到最高的地方，白雲和小鳥開心的來和它玩耍。

這時，不知道是誰對著他大喊：

「伯——伯！」

警衛伯伯從摩天輪上往下望，看到那些動物們就站在下面。

「喔，你們全部都來啦！來，大家快點兒坐上來吧！」

警衛伯伯招招手。

摩天輪載著動物們，像小船一樣，悠悠晃晃的動了起來。

市區愈變愈小，遊樂園也不知道消失到哪兒去了。

「接下來要去哪兒呢？」

警衛伯伯問。

「到很遠、很遠的地方去。」

動物們很有精神的回答。

「好，出發到很遠、很遠的地方去嘍！」

在夢裡，摩天輪「喀啦喀啦」的往前飛。

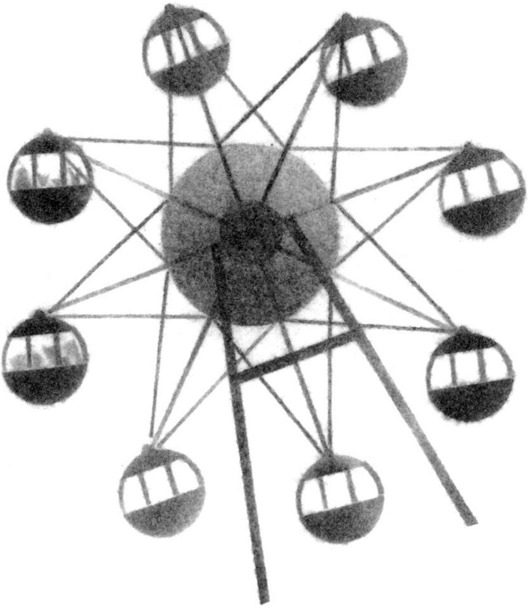

後面一群白雲，一邊呵呵笑著，

一邊快樂的追趕著他們。

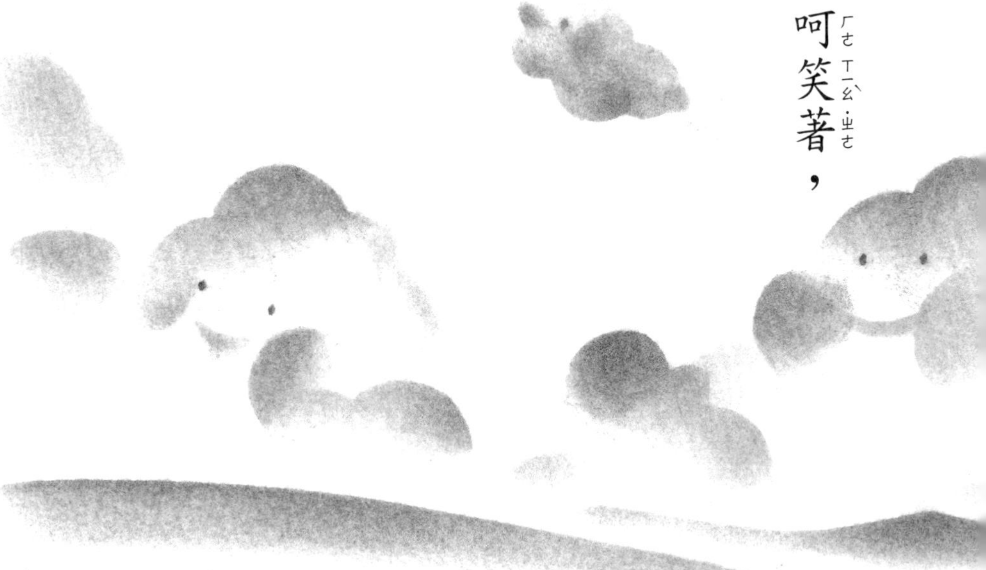

小天下
2002年10月創立

遊樂園今天不開門

作者／戶田和代　**繪者**／高巢和美　**譯者**／周姚萍
編輯顧問／林文寶　**小天下總編輯**／**系列主編**／李黨
責任編輯／張文玉　**封面設計暨美術編輯**／杜嘉凌（特約）
出版者／遠見天下文化出版股份有限公司
創辦人／高希均、王力行
遠見・天下文化・事業群　董事長／高希均
事業群發行人／**CEO**／王力行
出版事業部總編輯／許耀雲
版權部協理／張紫蘭
法律顧問／理律法律事務所陳長文律師　**著作權顧問**／魏啓翔律師
社址／台北市104松江路93巷1號2樓
讀者服務專線／（02）2662-0012　**傳真**／（02）2662-0007；（02）2662-0009
電子信箱／gkids@cwgv.com.tw
直接郵撥帳號／1326703-6號　遠見天下文化出版股份有限公司
製版廠／東豪印刷事業有限公司　**印刷廠**／吉鋒彩色印刷股份有限公司　**裝訂廠**／堅成裝訂股份有限公司
登記證／局版台業字第2517號　**總經銷**／大和書報圖書股份有限公司　電話（02）8990-2588
出版日期／2011年2月25日第一版　定價／250元
2015年1月10日第一版第7次印行

原著書名／ゆうえんちはおやすみ
YÛENCHI WA OYASUMI

ISBN：978-986-216-697-0（精裝）　書號：KL403　小天下網址　http://www.gkids.com.tw

國家圖書館出版品預行編目資料

遊樂園今天不開門／戶田和代文；
高巢和美圖；周姚萍譯.
-- 第一版. --臺北市：遠見天下, 2011.02
面；　公分（文學館；KL403）
譯自：わゆうえんちはおやすみ

ISBN 978-986-216-697-0（精裝）

861.59　　　100000009

公車站